劉福春・李怡 主編

民國文學珍稀文獻集成

第四輯

新詩舊集影印叢編　第160冊

【郭子雄卷】

春夏秋冬

上海：金屋書店 1928 年 9 月 15 日出版

郭子雄 著

【吳秋山卷】

秋山草

詩歌譯作社 1934 年 2 月初版，1937 年 6 月四版

吳秋山 著

遊擊者之夜歌

建國出版社 1938 年 4 月初版，1941 年 10 月再版

吳秋山 著

花木蘭文化事業有限公司

國家圖書館出版品預行編目資料

春夏秋冬／郭子雄 著　秋山草／遊擊者之夜歌 吳秋山 著 -- 初版
-- 新北市：花木蘭文化事業有限公司，2023〔民 112〕
90 面／60 面／78 面；19×26 公分
（民國文學珍稀文獻集成・第四輯・新詩舊集影印叢編 第 160 冊）
ISBN 978-626-344-144-6（全套：精裝）
831.8　　111021633

ISBN-978-626-344-144-6
9786263441446

民國文學珍稀文獻集成・第四輯・新詩舊集影印叢編（121-160 冊）
第 160 冊

春夏秋冬
秋山草
遊擊者之夜歌

著　者　郭子雄／吳秋山／吳秋山
主　編　劉福春、李怡
企　劃　四川大學中國詩歌研究院
　　　　四川大學大文學學派
總編輯　杜潔祥
副總編輯　楊嘉樂
編輯主任　許郁翎
編　輯　張雅淋、潘玟靜　美術編輯　陳逸婷
出　版　花木蘭文化事業有限公司
發行人　高小娟
聯絡地址　235 新北市中和區中安街七二號十三樓
　　　　電話：02-2923-1455／傳真：02-2923-1452
網　址　http://www.huamulan.tw 信箱 service@huamulans.com
印　刷　普羅文化出版廣告事業
初　版　2023 年 3 月
定　價　第四輯 121-160 冊（精裝）新台幣 100,000 元

春夏秋冬

郭子雄 著
郭子雄（1906～1944），四川資中人。

金屋書店（上海）一九二八年九月十五日出版。
原書三十二開。

春夏秋冬

子雄著

金屋書店

春夏秋冬

郭子雄著

上海
金屋書店

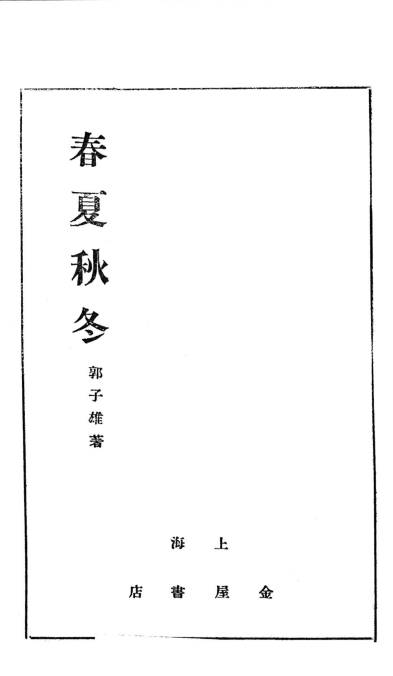

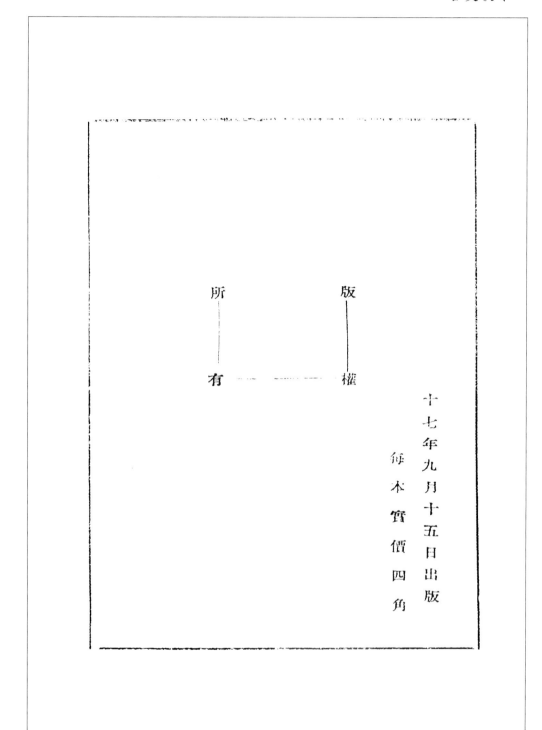

十七年九月十五日出版
每本實價四角

目錄

II

太早

剛睜開睡眼，便急忙的穿上衣，
洗好臉，要想來和你相見；
但在你家的門前走了幾轉，
那緊閉的雙扉還是依然，
連門神也不肯給我個笑顏。

這可是今朝起身得太早？

但出巢的烏鴉已老早叫了，
那朝日也已經穿過了林梢；
啊！你想是還在夢裏逍遙，
不曾聽得樓台外白楊的蕭蕭。

2

老僧

這老僧人的心兒已經老朽，
桃李花開亦不能惹動他的春愁；
廟前的木葉多一度的凋謝，
他的白髮也多白一度的春秋。

他進墓門安宿的時辰已近，
他的生命似殘陽墮地的難留；

但他似不曾到鏡明的水上
照照他的老面他的若霜的白頭。

他沒有愛怨亦沒有恩讎，
人世的紛擾有若淡霧已收；
他想做隻無牽無掛的輕鷗，
在無邊的海瀾上自沉自浮。

這兒草雖青青樹雖綠稠稠，
他和尙也不知好好地遨遊；

4

你聽他唸經的聲音這般清悠，
竟不肯傾聽一刻門前的水流。

廟前的花香香不進他的衣袖，
東風吹不進春意到他的心頭；
廟門兒已將他的身心幽囚，
他不能再到人間四處去漂流。

煙囪

有隻高的煙囪矗立在雲中，
　像塔一般的玲瓏，
　像碑一般的沉重；
有隻高的煙囪矗立在雲中。
牠背後的晚霞是異樣的紅，
　比着人血還要濃；

6

　　比着人血還要濃，
牠背後的晚霞是異樣的紅。

牠吐出的白沫像一條蜈蚣，
　　雲片似的隨着風，
　　在青的天心裏動；
牠吐出的白沫又像一條龍。

牠底下有血汗像潮樣的湧，
　　比太平洋還要汹；

比太平洋還要汹，
牠底下有血汗像潮樣的湧。
牠底下的機器是照樣的動，
不論是春夏秋冬；
不論是春夏秋冬，
牠底下的機器是照樣的動。
有隻高的煙囪矗立在雲中，
牠下面還有座塚，

8

沒命的好往裏送；
有隻高的煙囪矗立在雲中。

我的心

倘使樹梢頭還掛着殘月，
天空裏還沒有鴉雀兒飛，
那末，我的心會是一朵蓓蕾，
輕靈的，含着露，在晨風裏睡。

倘使我的心無意的驚醒，
會似松頂上掀起了風聲，

10

若是在夜靜，那你不用擔心，
遠遠的山谷都會向我回應。

倘使忽然間不見了月明，
或是太陽光消失了縱影，
那準是我的心變了動的雲，
像一陣海濤，在宇宙間奔騰。

倘使我的心像一座山峯，
莊嚴的，聳着，誰也推不動；

11

倘使頭上沒有草木的青葱，
也沒雪融，那我有我的面孔。

倘使我的心像一陣落花，
我會自然的從枝上掉下，
倘使我的心兒像一片雲霞，
會像一幅繡屏，在天邊懸掛。

倘使烏雲裏閃出了火電，
倘使空山裏響來了雨點，

12

那末，我的心像涸了的山澗，
潺潺的，又有了活躍的水泉。

謝絕

別再是那樣的對我嘻皮笑臉，
像小狗兒樣的搖着尾巴乞憐；
誰還再高興受你無情的欺騙？
我不是牲畜，別把我捉進象欄。

也別再乳燕兒似的向我喃喃，
還能騙我麽？你這些假的誓言；

14

我這冷了的心情已不能再暖
風平了的海呀，不會再起波瀾。

也別再轉動你那吃人的雙眼，
像夜裏的星兒樣，只管亂打閃；
我這心靈的絃索已似條枯澗，
在牠生命的源頭已無有水泉。

也別再裝出這樣妖豔的容顏，
胭脂塗滿了嘴唇，粉塗滿了臉；

我已不願到你的懷裏討溫暖，
別望我閉下兩眼，伴着你安眠。

你那眼睛，你那臉，多討人嫌厭，
還不及泥上的殘花瓣兒好看。
啊！別對我賣弄你巧妙的手腕，
火兒不能將熄了的死灰點燃。

16

鄉愁

縱歸夢也難度千重萬重的關山，
飛得過吳楚也飛不過巫山；
望呀！但空空望見蒼茫的雲天，
望得見日沒望不見日沒那方的家山。

難忘美妙的沙灘裏，城角間，
那兒曾埋有我的已失的童年，

可憐凋了的花蕾不能再開，
童年似花香被風吹入了塵埃。

已冷的遺跡又在胸中溫暖，
似春醒的藤蘿在岩邊蔓延，
歸去呀！我怕山高，我怕路遠，
歸去呀！怕要到白髮如霜如雪的暮年。

儘流儘流，讓久蓄的熱淚浸濕襟袖，
儘流儘流，流不盡這萬斛的鄉愁：

18

沱江邊的古城郭年年古舊，
沱江邊的我流落在異鄉不肯回頭。

賣肉

我這兒的貨色頂新鮮，你看：
那淋漓的鮮血都還未曾乾，
塊塊的肉像還在案上打顫，
來罷！整塊，零買，任隨你的便。

這兒有整個的頭顱，全的尾，
赤的心肝，張的肺，白的腦髓，

還有那絞着的腸子一大串，
來罷！多多，少少，任隨你的便。

這兒還有對腰子，快點來買，
遲一點就不行，別說你有錢，
還有個苦膽，做藥的好來買，
來罷！單的，雙的，任隨你的便。

這兒還有個嘴和着一條舌，
一個碎的肚子，一盆鮮的血，

一只大的耳朵，一隻重的腿，
來罷！大大，小小，任隨你的便。

這兒還有些不肥不瘦的肉，
好割幾片去，放進鹽水裏腌，
到除夕的晚上取出來過年，
來罷！一片，兩片，任隨你的便。

這兒還有好幾隻前蹄，後蹄，
別嫌棄，這東西也好辦酒席，

連毛都少有，用不着細心看，
來罷！一隻，兩隻，任隨你的便。

我賣的肉頂新鮮，價也頂廉，
也不會把骨頭藏在肉中間。
來罷！肥的，瘦的，任隨你的便，
別看做人肉一樣的不值錢。

春夏秋冬

春天我眞是一個小孩，
連蓓蕾兒都沒有張開，
但已惹得了她的憐愛，
蝴蝶似的常向我走來。

夏天是我的黃金時代，
綠葉兒遮了她的樓臺，

24

纍纍的果實熟的可愛，
連她望着我也要發呆。

秋天我只賸一些屍骸，
已不像從前那樣的乖，
美的變醜了；好的已壞，
她來看着我滿是奇怪。

冬天白的雪掉落下來，
像一床棉被把我掩蓋，

倘使她再到園裏徘徊，
一定尋不出我的所在。

26

陳死人

鳥啼！啼不醒墓中的酣夢，
風吹！吹不來生時的熱情，
花開花謝，草綠葉黃，
何能驚擾我的內心的寧靜。

風，雨，侵蝕了我入墓的時刻，
荒草中孤立着的墓碑，殘缺。

我日繼夜的在墓窟中長眠，
我不知長眠了幾何的流年。

團圞的明月是我的好友，
終古照臨我的白骨與枯魂；
我與她平分了天地，
平分到虛無的萬有沉淪。

閃閃，爍爍，那滿天的星羣，
似對我獰笑對我侵凌，

28

但我的睡夢兒又酣又沉，
那幽光總射不進我的心靈。

消滅了記憶且忘却了眼前，
不求詩人哀悼也不求美人泣憐，
任時間追送春與秋來循環，
我呀！永在無邊的愴涼裏長眠。

靜夜

請領略這般的夜靜，這般的更深，
這般的月色墜地也竟無聲，
清靜些，休這般輕狂，你聽：
風瑟瑟掀動了窗外的白楊。

你的心，我的心，合併起來，
也應似風聲與樹葉交鳴；

30

或似空山裏驚響的林濤，
與出山的澗聲在白雲裏同行。

你的心，我的心，合併起來，
應似星光閃爍在漆黑的天心，
你的心，我的心，歸入了坟塋，
應似星兒被烏雲遮沒了縱影。

清靜些！休這般輕狂，你聽：
白楊樹在風裏又颯颯的動搖，

你聽：遠處又響來狂暴的松濤，
你聽：這是甚麼淒境甚麼呼號！

32

隨便

隨便那一天，不論是明朝或是今天，
只要你也願意離去這「一生」的華筵，
便悄悄的歸去呀！到永恆的宇中安眠，
似一雙暮鴉向黃昏的影裏飛旋。

也不要後人來掩蓋我黃土一堆，
也不要刻石的墓銘與巍峨的墓碑，

但與你在荒林的深處含笑長眠，
西風起呀自有黃葉將我倆掩埋。

34

秋思

葉落了，花飛了，這異樣的蕭索，
那能容我有一勺的歡笑，
從今我要將雙眉深鎖，
深鎖着似黑雲下的林梢。

落了葉的白楊不能再蕭蕭，
枯了的花枝不能再臨風依搖，

看牠們的榮華已盡，我的心也緊了，
那堪再聽哀哀的鴈聲響徹雲霄。

不見了葉綠花開時的窈窕，
窈窕的已從時間的飛躍裏遁逃，
慰藉人生的一副顏色已經去掉，
我的心再不能一刻比一刻兒狂跳。

我要擇一個黑月照不到的山腰，
當西風瑟瑟物靜了的深霄，

將殘花與敗葉的遺骸一齊焚燒，
好對着毀滅的火光露一番慘笑。

輾轉

前天我心頭有一個幻影，
心想倘若她變了我的人，
那可眞高興，不用再操心，
這嘴兒也好貼住她的唇。

昨天我懷看異樣的心情，
心想她已不會是我的人，

38

那我又何必去叩她的門，
有沒有女人，都不關要緊。

今天我像從大夢裏驚醒，
心想再不能這樣的做人，
要是沒有她，夠多麼淒冷，
還不如悄悄的死了乾淨。

明朝我也許又會變個心，
也許會忘掉有她這個人，

像一個曾經遺忘的夢境，
縱偶然想起也不關重輕。

我要

我要向幽邃的高山遁逃，
逃到風雲裏去諦聽林濤，
寧使白骨化成了灰燼，滋生着亂草，
也不再向着來處回跑。

我要駕輕舟向海上遁逃，
將生命付與起伏的海潮，

縱有美麗的海島向我相招，
也不將漂泊的生涯拋掉。

我要儘量的哭也要儘量的笑，
我要儘量的餓也要儘量的飽，
酸甜苦辣，都是我生活的資料，
啊！我要這樣的一直過牠到老。

一瞥

我重來白茫茫的雪地，
尋覓昨日的足跡，
我要尋出最深的一個，
也要覓見最淺的一個。

我再進濃蔭的密林，
倚蒼松撫巨石而狂歌，

我要歌出最哀怨的一曲，
也要歌出最啘轉的一曲。

當初，不過偶然一想，
我便飛身到人間一瞥。
我雖一瞥在人間，
却要享受最苦悶的一刻，
也要享受最歡樂的一刻。

44

五老峯

牠們轟立着，究竟爲的甚麼？
這一個怪謎兒你可猜得破？
看啊！黃昏與黎明雖不停的踐過，
也終若巖上一朵花的自開自落。

陽光不會曬變牠們的容顏，
風雨也只使巖草起幾番改變，

雖然那烈火似的時間的威嚴，
已不知毀滅了多少的樓臺宮殿。

頭頂上是一塊博大的青天，
眼前是飛動的雲，靜止的山，
還有田疇村落與江河的緜延，
木型似的，羅列在牠們的脚前。

也不像菩薩樣，有一副金身，
但牠們却有那偉大的靈魂，

46

看啊！觀音橋上過路的行人，
誰不抬頭望到五老的峯頂。

滄海的彼岸

我已迷失了知覺，朦朧了雙眼，
在弱的一雙羽翼已無力向前，
我已飛度了幾十萬重的關山，
但行程還只來到陸地的邊沿。

張望！頭頂上看不見青天，
眼前的風濤又是那般驚險，

還有凶惡的飛鷹在空間盤旋，我怕：
這荏弱的雙翼飛不到滄海的彼岸，

誰能

誰能不受光陰刻毒的欺凌？
啊！他是從不肯認人，你看：
昨朝我還在人前搖着亭亭的身影，
今朝已老得像血紅樣的一叢楓林。

誰能不受光陰刻毒的欺凌？
啊！他是從不肯留情，你看：

50

他能使熊熊的烈火化成灰燼
鮮紅的顏色離去美人的嘴唇。

誰能不受光陰刻毒的欺凌？
啊！他是從不肯留情，你看：
那嫣然的花朵纔從泥裏新生，
只一夜的風雨又向泥裏凋零。

誰能不受光陰刻毒的欺凌？
啊！他是從不肯留情，你看：

那庭前的白楊已沒有聲音
不怕牠前時響的那樣分明。
誰能不受光陰刻毒的欺淩？
啊！他是從不肯留情，你看：
那樹葉兒青青的，像異樣欣榮，
但此際已片片的掉落在堦心。
誰能不受光陰刻毒的欺淩？
啊！他是從不肯留情，你看：

52

荷葉上的露珠只有一息的生命，
短促的黃花不能多開一個時辰。

誰能不受光陰刻毒的欺凌？
啊！他是從不肯留情，你看：
他不讓蝴蝶兒長有飛往的花蔭，
他不讓秋蟲兒長在敗草裏呻吟。

誰能不受光陰刻毒的欺凌？
啊！他是從不肯留情，你看：

他要你睡了又要你清醒，
高興了還要請你進墓門。
誰能不受光陰刻毒的欺凌？
啊！他是從不肯認人，你看：
昨朝我還在人前搖着亭亭的身影，
今朝已老得像血紅樣的一叢楓林。

54

春訊

從今的天不再是憂鬱的灰色，
動人的常是慈母般和祥的喜悅，
死了死了，嚴冬的日月，
似林間腐化了的一堆木葉。

那枯萎了將死的花草樹木，
美麗的容光雖已斜陽似的沉沒，

但如今又要再紅再青再黃再綠，
像村姑娘着上簇新的衣服。

度過了多少重的山水雲煙，
去了的落花又悄悄的歸返，
她們要恢復褪了的芬芳與容顏，
好再待美人折上唇去親吻一番。

金黃的，白的，黑的，雜花的
蝴蝶兒又將在花間狂飛，

56

嚴冬的日月，死了死了，
似林間腐化了的木葉一堆。

廿歲生日

沒有愛的溫暖更沒有同情的慰安，
美人的芳唇又不曾吻到我的唇邊，
可憐追求的夢影猶未實現，
薔薇花色的青春，韶年，已去一半。

沒有憑依。（無論在現實或在夢鄉，）
也沒有一星弱火在我的當前，

58

我這縹縹緲緲的心魂，
永似一縷無定的輕煙。

沒有歡笑浮上我的容顏，
像朝霞浮在清朗的天邊；
我儘在失意的束縛中輾轉，
正似繭裏待死的春蠶。

沒有聲音，聲訴愁緒的萬千——
像秋樹上叫苦的鳴蟬；

要將萬斛的哀愁驅出身邊，
祇有到醇酒的芬芳裏沉醉流連。

沒有愛的溫暖更沒有同情的慰安，
美人的芳唇永不曾吻到我的唇邊，
可憐追求的夢影猶未實現，
薔薇花色的青春韶年竟去一半！

60

深山裏秋夜的落葉聲

深山裏秋夜的落葉聲，
一聲，兩聲，驚動我靜穩的心，
三聲，四聲，打動我悽惻的心，
我纔傾耳向西風裏靜聽：

有的初從故枝上分離，
聽牠們的聲氣，聽牠們的聲氣，

像是在苦雨悽風的深夜，
聽離家子低低的啜泣；

有的已曾在四處漂泊，
聽牠們的聲氣，聽牠們的聲氣，
像是在無涯的沙漠上，
聽流落者在沙塵裏歎息；

有的在頃刻間便要斷氣，
聽牠們的聲息，聽牠們的聲息，

62

像是在無聲無氣的斗室裏，
聽垂死人短促的顫巍巍的呼吸；

秋夜裏深山的落葉聲，
一聲兩聲，奏出切切的哀吟，
三聲四聲，奏出深山的秋聲，
聽呀！西風又驅着牠前行！

在沙漠上

當我揹上了行囊，踏上了途程，
這熱烈的心情比如壯士出征，
也不管兒女們死牽着這衣襟，
也不管慈母的淚在面上縱橫。

在荒道上征行，在荒道上征行，
像粗鞭下的馬兒樣，不敢留停；

64

在荒道上悲鳴，在荒道上悲鳴，
喘氣裏還夾着有悲壯的嘶聲。

我將全盤的生命，交給與命運，
落葉似的掉頭到西風裏飄零；
但這無情的命運，播弄了生命，
又一陣的雨點打濕我的屍身。

在沙漠上征行，在沙漠上征行，
火熱的沙爍燙了這雙脚板心；

在沙塵中前進，在沙塵中前進，
有琳淋的汗滴像露珠樣晶瑩．

頭上有一團月明，有一團月明，
慈母似的撫摩着倒臥的征人；
漠上來一陣風聲，來一陣風聲，
這征人又從疲勞的睡夢驚醒．

沒有厚的衣衾，沒有厚的衣衾，
這骨頭不敵風兒刀樣的侵凌；

66

像冰一般的冷，像冰一般的冷，
荒漠上躺着副殭硬了的屍身。

在那最後的時辰，我放下雄心，
輕輕的閉了眼睛，結束了生命，
也不問有沒有人回去報死信，
也不問母親望不望兒子回程。

也許

我知道這最後的俄頃已難再延，
短促的呼吸裏也只一息在奄奄，
也許就會死罷，唉！死了到也心願，
縱像野狗樣的倒斃在荒丘無人來憐。

68

也許看不見紙錢兒化做火焰，
也設永沒人來我的墳前祭奠，
唉！到了身上的皮肉全歸腐爛，
還要留幾根白骨度寂寞的流年

也。
也許新起的墳堆會遭人嫌厭，
也許在荒蕪的地還不能安眠，
你不看那花兒受了暴風雨的摧殘，
一瓣一瓣的散落了還要受人踐踏。

也許殘餘的骸骨會再見青天，
也許還要到風雨悽惻裏顛連，
唉！一堆殘骨暴露在泥土的上面，
一件醜的畫圖擺在過路人的跟前。

我知道這最後的俄頃已難再延，
短促的呼吸裏也只一息在奄奄，
也許就會死罷，唉！死了到也心願，
縱像野狗樣的倒斃在荒丘無人來憐。

親切的鬼魂

你怕來得麼？我就吹熄這盞燈，
關上那扇門，好讓這兒更冷靜；
不要怕！我是你生前親切的人，
要不信，試聽聽我說話的聲音。
　　啊！我親切的鬼魂。

那是遠處的更聲，你不要吃驚，

打更的還是我們鄰近住的人，
別害怕，那是砌畔的蟲兒在鳴，
那是被風兒吹動的一圈樹影．
啊！我親切的鬼魂．

你放心，這兒再不會有生的人，
夜已這般的深，誰還沒有睡盡，
這一座小小的城郭已經死定，
聽！街頭上已沒有脚步的聲音．
啊！我親切的鬼魂．

72

像中箭的雁兒，中途拋了生命，
啊，你就這樣到了閉眼的時辰，
別只圖死了乾淨，也得來聽聽，
這斷續的凄咽，這斷續的呻吟。
啊！我親切的鬼魂。

沒有花的香，也看不見草的青，
祇新的黃土建築起你的墳塋，
你在墓窟的生活也眞太悽冷，

連白楊樹的聲音都沒有得聽.
啊! 我親切的鬼魂.

你好來看我, 當着路上有月明;
也好來看我, 縱在漆黑的夜深:
我會叫螢火蟲兒來替你打燈,
我會叫牠們閃閃的照着你行.
啊! 我親切的鬼魂.

要再來就輕輕的叩這一扇門,

74

別把那幾個小孩兒的夢驚醒；
在我耳朵的邊沿，你來喚一聲，
這靈魂兒便會山谷似的回應。
啊！我親切的鬼魂。

西風

冷蕭蕭的西風從衰草上吹過，
一根根的草兒都縮住了手脚，
緊緊的，我靠住你，你也靠住我；
但立刻又有了更大的禍，
樵夫們來放了一把野火。

白楊樹的葉兒已葉葉的凋落，

墓園裏再也聽不見往日的歌
鬼魂兒倘若醒了，也不免寂寞；
樹上的殘葉請不要就落，
看西風走來給你個什麽。

歌

鼙鼓的聲音在耳邊驚響，
紅的軍旗兒已開始飛揚。
像雁陣一樣，一行又一行，
我們的隊伍走上了戰場。

腰間的鋼刀已擦得雪亮，
肩頭上已放下一管長槍；

78

我要舉起槍兒撲撲的放，
將刀兒染上一點紅的光。

要像鐵石一樣，我的心腸，
我要殺敵人，比如殺豬羊，
我要將人肉當豬肉樣嘗，
鮮紅的人血做葡萄酒漿。

我要毀滅那高大的樓房，
我要毀滅那繁華的市場，

我要使沙石在空中亂揚，
將瓦兒從屋頂移到地上。

我要打壞那森嚴的高牆，
看看少數人佔有的地方，
我要將煙味與槍炮的響，
代替那鳥的語與花的香。

我也要掃平那一帶村莊，
將高低的房屋變做一樣，

80

關照燕雀兒別住在樑上,
老鼠兒趕快逃出空的房。

我要使河山變牠一個樣,
我要使青的天變做昏黃,
我要使白天看不見太陽,
晚上看不見明月的幽光.

我不怕眘響也不怕炮響,
縱白刃來了我也不躲藏,

死也像其他的死人一樣，
黃土裏自有安睡的地方。

22

秋山草

吳秋山 著

吳秋山（1907～1984），原名吳晉瀾，生於福建詔安。

詩歌譯作社一九三四年二月初版，一九三七年六月四版。
原書三十二開。

秋山草

吳秋山著

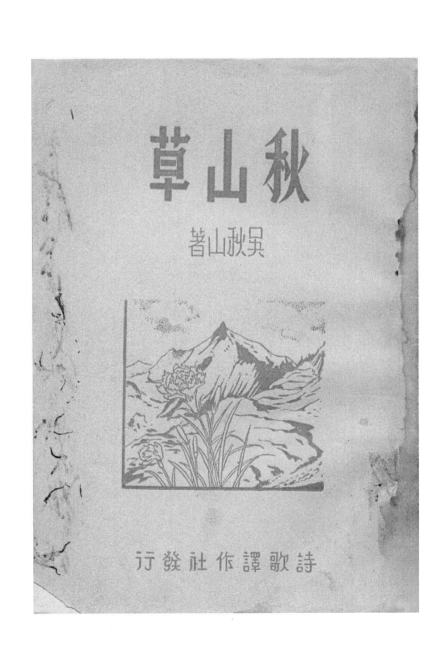

詩歌譯作社發行

目次

許序

讀了吳秋山先生的秋山草，我覺得這些詩都很生動多趣，想象豐富，譬喻巧妙，處處顯露着濃厚的情感；含蓄得多，所以意味深長。切切實實的做到具象化的條件，更足以供初學者的參考。全集分作四輯，第三四兩輯，對於一般的勞苦大衆，有着深切的了解，於熱烈的同情的表達中，暴露了許多社會的病態：賣簫者中寫着這樣的一段；

竹管當不了飯吃，
吹，乏力，拚命地吹，
濫調寫出內心的焦苦！

轎夫中的一段；

上嶺的步伐是更沉重，

轎子一上一下像個搖籃，
老爺躺着在做童年的夢，
他倆却像囚犯受了苦刑！

對照強烈，描寫得很仔細透切，由此可見作者的博愛的心。能了解才能同情，却也因為有了同情才能深切的了解。作者是不悲觀的，在都市的早晨上他又這樣寫着；

為了活，縱遇風雨也得前進，
何況曙光正朗照前路。

秋山草的產生在九一八以後，受了外來帝國主義者的壓迫，我們的農村是被摧殘了；弄得生活困難，有的竟挺而走險；在村夜中，有着這樣的紀錄；

家家的柴門早就緊閉，

11

生怕土匪乘夜來掠刧，
大家都弔上恐怖的心，
睜大着倦眼不敢入睡。

不但反映了時代，在同篇中，也已寫出了忠誠同胞勇於守衛的精神；

瞭望台上閃出手電的眼，
壯丁高聲的要行人喊口令。

但當國難當頭的現在，更其值得注意的是，第一二兩輯中的鄉愁的表現，引起了對於家鄉的熱情，才會努力的去保衛。這樣於無形中的鼓勵，勝於大聲疾呼的吶喊。我相信，秋山草出版後，一定可以發生很好的影響。

許欽文，一月十六日。

自序

我的第一本詩集——楓葉集出版以後，到現在忽忽已經兩年多了；這其間，我的詩作，又復不少，作風也似乎有些轉變，但因爲萍踪靡定，還沒有機會再編第二集。最近與郁達夫先生閒談，他很關心我的詩，屢次催促編印，他的好意，我是非常感激的。因此，我也樂得費了幾夕的工夫，把篋裏所存的詩稿整理一下，現在先蒐了二十餘首，編成一集，取名秋山草。

關於這些俚詩，因爲所作的時間和空間的不同，所以格調不很一致，姑且約略分爲四輯；其中一二兩輯，是抒寫個人生活的斷片，和旅途的雜感，那還是兩三年前的舊作；其餘兩輯，算是最近的作品，所取的題材，大都是勞苦大衆的生活狀況，寫這些詩的時候，我是有着切實的體驗，和至深的同情的。

我寫詩和別人有點不同，人家每作一着詩，大抵要花很多的時間去推敲，所謂「吟成一個字，撚斷數根鬚。」但我却沒這樣苦吟的餘閒，因爲我的所有的時間，可說是完全出賣了的；天天跟着鈴聲上下課，間或還要做「等因奉此」之類的官樣文章，夜裏又要改卷子，編講義，委實忙得可以。雖然自己常於百忙中偷閒寫稿，但也不過把一刹那間的「烟士披里純」信筆表達之後，便無暇再去咬文嚼字了。因此，總怕不免有些缺陷之處，但不去撚鬚苦吟也復佳，因爲這或可以免去矯揉造作之弊，而較近于自然也。

本書蒙許欽文先生做序，幷此誌謝。

廿三年一月十六日，吳秋山於上海江灣。

VI

旅程

茅店，
喈喈的雞聲，
喚來窗前的晨曦。

起來，
料理行囊，
殘月跟我踱過板橋。

驛路，
霜痕印着浪跡，

寒衣上添了多少緇塵？

此去

又是天涯，

舟車當作我底家。

2

船笛

曙光帶來白格子的窗，
遠浦的船笛，嗚嗚地
喚起了飄泊的舊夢。

海濤，燈塔，沙鷗……
又在夢間環抱了，
沒盡頭的茫茫的旅程。

眼前依舊是青青的客舍，
一陣陣楊柳風，

掃不盡的輕塵。

船笛已漸漸低微了，

嬝嬝的餘音，

撩起了新的旅愁。

客 夢

踈燈搖客夢，
夢醒後，西窗外
一陣蕭颯的芭蕉雨，
而家園是更遠更遠。

夜風帶來一些寒意，
我憧憬着夢中的畫面：
一盞微暗的美孚燈，
和一雙忙於針線的纖手。

殘夜

更夫的木梆敲出殘夜，
輕輕的夢兒是飛去了。

芯草在油盞裏開了花，
花瓣上乃有粉蛾在飛舞。

心上的倩影是漸模糊，
有如輕絮越飄越遠。

我悶守着微暗的斗室，
靜聽窗紙與夜風細語。

6

樹蔭下的默想

獨自帶着獵犬
走下斜坡，
林間的枯葉
在履下啜泣；
潺潺溪流
也在嗚咽似的，
在這荒涼的
深秋的黃昏。

我丟下了槍，

7

獵刀和水瓶，
默默地在
樹蔭下延竚。
再沒有彈奏
六絃琴的興致了，
手中的煙斗
飄起遐思的烟。

那烟是一幅圖畫，
描出當年的她；
小鳥似的，在我的
身旁生起柴火，

烤着剛獵獲的雉。
在柴火邊，
我們高興地用着
適口的野餐……

現在，那幅畫是已
撕毀了，而那烟
又描出眼前的一幅；
一片松楸，和
一坯荒蕪的香塚，
塚上的白楊已成拱了。
我像從夢中醒來，

用力地儘吸着煙斗。

獨自帶着獵犬
走下斜坡，
林間的枯葉
在履下啜泣；
潺潺溪流
也在嗚咽似的，
在這荒涼的
深秋的黃昏。

水榭

水榭是清虛的，
玻璃屏外
有幽靜的夜湖。
流水荷風，
彈奏着絃音縷縷，
乍惹起客愁多少？
遠處划來一葉燈船，
兜賣白蓮藕粉，
我獨倚着欄杆角，

細嘗異鄉的風味。
水面逗來些些涼意，
曲橋畔有話別的蘆葦。

12

雁

陰霾也好，
晴朗也好，
日日你總在天邊飛翔。
飛過了浪花洶湧的海角，
飛過了荊棘離披的山崖。
無論風刮得那麽厲害，
無論雨洒得那麽迷濛，
你總是嘹亮地秋秋不息。
莫非生涯又教你飄零？
莫非空際有甚麽可戀？

但聞秋風過耳，
你也該啣着荻花飛回吧，
爲甚還在天邊不息地飛翔。

14

夢話

如其我有一間茅屋，
面對着秋晴的南山；
我將悠然地住它幾日，
去采東籬下的野菊。

但這卻是夢話了，
倥偬的人生，
將永遠在征塵中過去，
而幽閒的心情是太遼遠。

秋晚山遊

滿山紅葉，
古寺貼着
　夕陽一角。
秋風搖動驢鈴
　塔闌塔闌地響，
寂寞的山谷
　是更寂寞。

淡照中
　拖過一條鞭影，

16

得得的，鐵蹄
　敲着野徑，
發出老調的節拍，
　爲驢背客
添了不少詩興。

古城

眼底的枯木寒山，
在暮靄裏，淡了，遠了。
細雨的街頭，
搖晃着星星的燈火。

一輛破舊的馬車，
馳入更深的夜色，
沉重的馬蹄聲，
衝不破古城寂寞的夢。

雪夜

孤館的鐙是青的，
窗外，垂下雪的珠簾。
爐父伸出了蛇舌，
舐着室中的冷味。
又是殘夜夢回，
枕畔的書瘦損了。
遠處擲來一片狗吠，
擊破沉寂的夜網。

都市的早晨

夜給街頭的霓虹燈溜走了，
天空，皺起了白的魚肚。

摩天樓，連成起伏的荒岡，
裏面的生物正停止蠕動。

沉沉，再聽不到肉麻的繁響，
悲涼，街口幾聲報販的叫賣。

馬路，像一片冷落的郊原，

20

淸道夫的帚下淌出落葉凄語。
摩托也睡着，不再來兜風，
祇有糞車底輪在吻着煤屑。

倥偬，路上幾個上工的傢伙，
又開始出賣一天的血汗。

這一羣都市裏的牛馬，
奔走着，還怕得不到溫飽。

爲了活，縱遇風雨也得前進

何況曙光正朗照前路。
讓大家吸一口不花錢的朝氣，
努力地，來進行各人的勞工。

22

拾荒者

馱着舊竹籃，
抓着鉛絲鉤，
（像戈壁上的駱駝，）
一步一步，彳亍地
在人家金屋外逼走。

到處翻開垃圾堆，
驚動着聚餐的蒼蠅，
與在泥土裏做夢的蚯蚓
拾得些破銅和爛鐵，

像沙裏淘出了黃金。

天天飽嘗塵芥的臭味，
讓塵霧迷黑了臉和心，
青春就暗暗地消逝了，
在這不絕憂苦的世界。

碼頭小景

潮水抬高了浮板，
烟囪爬出黑蛇般的烟，
汽笛嗚嗚地在叫喊，
駁船展開空腹等着食糧。

小工們給堆棧口吐出來了，
笨重的貨件壓緊着脊梁，
大家排成蟻樣的行列，
杭育杭育地掮上了船。

心裏牢記着「錢」底根數，
身上却頻榨出汚黑的汗漿；
他們是堅忍地彎着腰邁進，
冒着風雨在碼頭上奔忙。

整天的勞力賣得幾隻角子，
但隨又換作果腹的糇糧；
日日靠着赤手空拳在掙扎，
辛苦地馳騁在這生活的戰場。

26

轎夫

叨着老爺的福，
他倆也得上山來逛逛；
美麗的風景繡出一幅畫，
但他倆却沒欣賞的閒情。

火樣的太陽燒着鐵的肩膀，
渾身的黑汗有如瀑布奔迸，
老爺發福的體重往肉裏扣，
搾出了一片急促的喘聲！

上嶺的步伐是更沉重，
轎子一上一下像個搖籃，
老爺躺着在做童年的夢，
他倆却像囚犯受了苦刑！

28

盲歌女

低下頭，輕彈着琵琶，
嬝嬝的哀音在指間嗚了；
一支悱惻纏綿的小曲，
是訴說你底身世飄零嗎？

茶座上盡是狂歡的笑臉，
誰肯傾下同情之耳細聽？
你該珍重歌聲的代價，
好好地摸着夜路歸去吧。

賣簫者

秋風，
高爽的天宇，
日脚爬上牆西

輕輕，
幾聲簫韻，
穿破了靜寞的街心

誰箇知音，
人們誤當我在作樂，

那知這是生命的喊聲！

躑躅，
踏碎異鄉的石路，
蕭囊依然重壓在背上。

竹管當不了飯吃，
吹，乏力，拚命地吹，
濫調寫出內心的焦苦！

31

流浪人

寒夜的電桿上，
縊着一盞薄暗的路燈，
燈光下，斜瀉着
一個異鄉人底淡影。

彳亍着，發響的足音，
與夫流線型的口笛，
是合奏着心之哀曲嗎？
何其悲涼的聲調啊！

32

前面的路是太迷茫，
沒有燈，也沒有月亮，
伱仃的流浪人喲，
今夜晚，你到何處去？

災民

汛濫，兼旬的大雨，
把家交給了澤國。
挾着蓆，披着襤褸的衣，
蹣跚，沒盡頭的路。
捱餓，踏上了街頭，
飯香，一陣陣飄過。
嗷嗷，孩子不斷地哭鬧，

攪碎了的，母親底心！

荷包，滿裝着淸風，
爸爸鎖着眉搖了搖頭。

夜——跑酸了腿，
倦呀，狼狽地在路旁露宿。

漁筏

黎明，潮爬上沙灘，
江畔的篝火滅了。
欸乃，雙槳展了翼，
筏像海燕剪着綠水。
把煙波當作田耕，
頻頻，撒撈着罾網。
魚兒躍着多從破縫漏去

半天了，還捕不到半隻。
生活，是一天苦似一天，
那有餘力去羅致新網。

順着流，再飄過重山，
希望多得點收穫。

誰知，又來一陣風雨，
空悔把簑笠典盡。

急流，筏險些觸着礁嶕，

幸虧，我把槳兒撥轉。
晚了，同鄉筏一道回去，
他們也在搖頭嘆息！

38

績苧婦

破舊的一扪柴門邊，
她低下頭注視腿上的苧，
兩隻手輕快地績着，
一絲絲投落身邊的�筐。

筁筐裏泛起丈夫底愁容，
每趟回來總是兩手空空。
「唉！何時才得織成新網？」
她想着，又是一陣心慌！

39

晚風吹來江濱的漁曲，
她又感到一天的失望！
恨不得馬上把苧變成了網，
明兒好讓丈夫去上漁莊。

40

車水

旱，田泥裂成龜甲，
芒種了，還沒半朵雲霓。

忙着，循環地踏轉木輪，
烈日下晃着弓形的瘦影。

潭水，也將枯涸了，
但還沒法播插秧針，

想來，今秋又是一場失望，

空讓鐮刀銹成了泥。
鳥兒不知道人心的苦，
聲聲，儘喚着「播穀」。

野屋

殘陽，
傾圮的柴扉，
野草蕭蕭地長了。
沒有炊煙，
欹斜的茅簷，
孕滿着寂的黃昏。
泥牆又塌倒了，
一塊，兩塊……

跳下乾涸的潭裏。

風刮着，
農人底嘆息，
震動了寥落的蓽門。

44

村夜

寒鴉叫落了夕陽，
夜色鬆上每個角落，
瞭望台上閃出手電的眼，
壯丁高聲的要行人喊口令。
放哨的槍聲像爆竹般響，
隨着是一片雜亂的狗吠。
家家的柴門早就緊閉，
生怕土匪乘夜來掠刼，
大家都弔上恐怖的心，
睜大着倦眼不敢入睡。

荒廢的田園

兵燹後，田園變成了荒土，
枯焦的荳棚下積着瓦礫一堆。
秋陽依舊照着無垠的村野，
但已蓋上了一片榛榛的荊棘。
雲雀再找不到美麗的黃菜花，
啁啾着，失戀似的飛入雲霄。
阡陌上也再沒有牛羊的踪跡，
牧女弄着草角哼起了哀歌。

詩歌譯作社叢書之一

秋山草

平裝每冊實價二角五分

外埠酌加寄費

著作者 吳秋山
發行者 詩歌譯作社
總經售 生活書店
印刷者 華新印刷所

中華民國二十三年二月初版
中華民國二十六年四月版

遊擊者之夜歌

吳秋山 著

建國出版社一九三八年四月初版，一九四一年十月再版。
原書三十二開。

抗戰詩集

游擊者之夜歌

吳秋山著

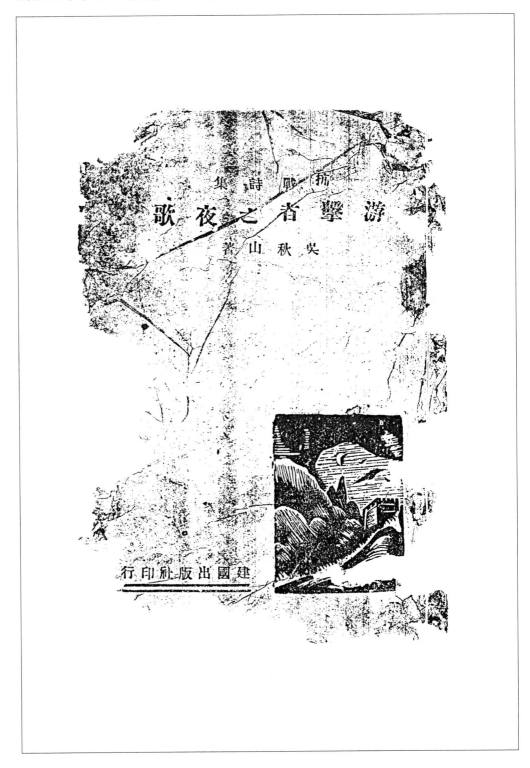

建國出版社印行

全國動員抗敵歌

動員吧，全國的同胞們，
民族存亡已到了最後關頭，
這已是我們全民抗戰的時分。
我們無論農工商學兵，
都要站在同一戰綫上奮鬥圖存！

動員吧，全國的同胞們，
我們決不願做敵人的奴隸，
我們的領土與主權也決不讓敵人併吞！
我們要奮勇地衝上前去，
殺退窮兇極惡的敵軍！

動員罷，全國的同胞們，
我們是雄猛的醒獅，
我們不是馴服的羊羣。
我們要團結起來，

游擊者之夜歌

把敵人趕出中華的國門！

勵農能，全國的同胞們，

我們要誓死捍衛我們的河山，

我們要拚命喚醒我們的國魂！

我們要爭取最後的勝利，

洗雪我們的恥辱和創痕！

2

大上海的火潮

「八一三」，
這戰鬥的日子，
大上海又一度
掀起火潮了；
血紅的浪花，
澎湃着，
從黃浦江，
滾到吳淞口，
比錢塘的
夜半潮更壯美！
火潮中，
有抗戰的百萬軍聲，
有復仇的槍炮響聲，
有解放的民族呼聲，
叱咤着，
流洩着，

游擊者之夜歌

播滿大地，
响徹雲霄。
我們高興聽這
時代的交響
我們願意受這
火潮的洗禮，
讓舊中國的恥辱
滌除淨盡；
讓舊時代的血跡
洗滌無遺。
看祖國重新翻個身子！

4

我的抒情曲

在窗下，
在警笛聲中，
我周身的血騰沸了。
我的心是一顆炸彈，
我的筆是一枝短槍，
我要馬上踏上
那殺敵的征途上。

我愛那棕色的戰馬，
愛那拜倫的甲胄，
愛那海涅的寶劍。

我也愛那腥風，
愛那血花，
愛那赭霧，
和愛那如鉤的戰場月。

讓一切的閒情，
化作輕煙隨去罷；
讓一切的懸緒，
隨着落花東流罷。

今朝，
我在鎗彈的節拍下，
高唱我的抒情曲。

我們的行列

穿上了戎裝，
荷着槍，
為祖國許下這條身子。
大家只有一條心，
一個行動，
排成鐵樣的行列，
要到讎方去殺敵。

前面是一片烽火，
一片狼煙，
鉄鳥在叫，
戰馬在嘶。
車聲轔轔，
旗影在風裏飄。

邁着步，

遊擊者之夜歌

聳起肩膀，
我們挑起
抗建的擔子，
走一千里，
一萬里，
踏破黑夜，
看明天！——
光輝的明天，
種族在春風裏生長；
國旗也現出了笑臉。

8

在火線上

遍地腥羶，
火線劃過這草原，
再沒有
雜花生樹，
鶯飛草長；
再不是江南
暮春的三月天。
秋風颯颯
刮起了殺氣，
吹動鉄蒺藜的藤
往槁死的木樁上攀。
晴天裏下一陣彈雨，
炮火開花，
毒瓦斯播着雲煙；
再看不到
明麗的風物與

游擊者之夜歌

澄清的天
紅的血水
在積尸的溝中奔流，
水面上有
鐵蜻蜓在飛舞；
笨重的鐵甲虫
爬過這草原。
來，年青的伙伴，
咱們來欣賞這奇觀。
咱們的血經將
兒孫的[illegible]，
讓火線鋪得
更長更長；
一直到那
遙遠的三島上，
看他們的血花
比櫻花更加鮮妍！

16

夜哨

八月，血腥味的風，
鐵蒺藜開出紅花朶朶，
月亮像一顆照明彈，
射照着片到沉寂的荒野。

這兒今午是敵人的陣營，
而今已是我們的前線，
荷着槍，繞着沙袋的牆，
我們機警地放着步哨。

前面偶有疎落的砲聲，
但沒有半個鬼子底影，
我們真等得不耐煩，
準備再向前衝進！

遊擊者之夜歌

槍上的刺刀已在閃光，
身邊的手溜彈也在滾動，
來罷，對頭，別逃避，
今宵再給你們掛彩！

12

射擊

在血巷裏，
咱們緊握着槍，
冒着烽火，
衝出十字街頭；
埋伏，在角隅里，
咱們像長蛇般地爬。
托着槍，添上子彈，
瞄準，放出發焰的眼，
對着敵人；
一發就是幾個，
笑着千人針
在敵屍上粉碎！
別說咱們底槍不行，
咱們都是最好的射擊手，
一條條火線，

穿透了鬼子們底心，
把大和魂擊破！

肉搏

十月天，
戰場上的冷風，
吹起一陣殺氣。
我們爬上壕沿，
抽出大刀，
向敵陣衝去，
殺呵！（一陣吶喊）
猛斫，掉下無數紅瓜
（敵人的梟首。）
上前，再陷陣，
提起血刃，
我們是殲敵的劊子手，
來，倭奴，
快來拚個死活
你我最不共戴天的仇！

「九一八」六年祭

——獻給抗敵陣亡的義勇軍——

在那一天的夜裏，
鴨綠江上刮起了暴風，
吹着生疎的蘆管，
驚破了少帥甜蜜的夢，
和夜裏甜蜜的香檳杯。
翻過身，走了，走了，
走進了壯麗的山海關；
在關裏亮着燈，
空對着無限變色的江山！

古城堞上飄揚着膏藥旗，
無數的矮猴子在演傀儡戲。
從此廣袤的四省全失掉了；
失掉了寶藏的鑛產，
失掉了豐富的高粱。

美麗的廬舍焚成一片焦土，
肥沃的田園變成一片廢墟，
三千萬人沒了祖國，
任憑敵人姦淫、掠刼與摧殘！
大家過着牛馬般的奴隸生活，
這恥辱誰來雪滌，

英勇的戰士呀，
你們爲了保衛家鄉，
你們爲了復興國族，
你們是以大無畏的精神，
咆哮着，喚起了
不願做奴隸的同胞，
提起了大刀，匕首，
手溜彈和發銹了的土槍，
勇敢地冒着敵人的炮火
開始壯烈的游擊戰！

「九·一八」六年祭

遊擊者之夜歌

在狂暴的風砂中，
在深邃的綠林裏，
在無垠的草原上，
你們繼續不斷地浴血前進，
放着野火燒毀敵人的營壘，
趁着暗夜偷斫鬼子的頭顱，
你們機警巧妙的戰術，
你們勇敢犧牲的精神，
使橫蠻的敵人懾慴不安！

雖然你們的伙伴，
有的在敵人的重圍中
做着不願屈服的俘虜，
果敢地拿起手槍自殺；
有的在廣漠的沙場上，
躺着血泊長眠！
但你們壯烈的犧牲，
是證驚天動地泣鬼神的，

18

「九一八」六年祭

英勇的戰士呀，
你們的死眞是重於泰山！
如今，你們的血已寫成了
六年來光榮的戰鬥史；
我們的祖國是彌漫着更濃的烽煙，
大家踏着你們的血跡，
從事全面的持久戰！
雖然破碎的河山還未收拾，
但我們確有獲得最後勝利的信念。
在這壯烈的抗戰中，
已在孕育着新中國的預兆。
英勇的戰士呀，
在塞北的泥土裏，
在秋夜的淒風中，
你們安息了爲祖國的哀愁吧，
國族復興的曙光已在前面晃着了！

游擊者之夜歌

兄弟們，戰友們，
我們寧死於疆場，
莫要作了坡格孛茲人陛下的囚犯，
讓我們走上那唐河之綠水，
讓我們的鎗矛，
爲殺掉坡格孛茲的人們而折斷……

——伊戈爾的徒伐之歌

深山裏站着楸樹的行列，
寒鴉之羽粘上了夜色，
孕着鄉愁的畫角聲，
在迢遙的叢藪裏哀吟。
遙望着霜樣的城頭月，
和那山前的雪樣的沙漠，
又憶起消失在烽火裏的家了。

像石榴般糜爛了的家呀，
水藻般漂散了的家人呀，
我流亡於夜的山谷中，
傾瀉着征人的悲酸之淚！

就把這熱淚磨亮了我的刀，
我的鎗矛，去殺伐
那奪了故鄉的倭人；
是的，讓我們的刀鎗，
折斷在倭種人的身上！

啊，夜的微風呀，
捲來玉蜀黍的香味。
在這多蔭影的森林中，
我們的伙伴在自由出沒，
我們的戰馬也在自由地嘶。

山徑上有着簌簌的落葉，

葉堆下漏出草虫唧唧的鳴聲，
伴奏着我們輕快的步伐，
踏出那條跑慣了的血路。

林外是一幅織在月光中的版圖，
啊！可愛的國土呀，錦繡的山河！
如今已在倭人的鉄蹄下，
印上了污濁的創痕！

兄弟們，戰友們，
爲着奪回我們的家鄉，
爲着保衞我們的國族，
我們甯死於血花斑斕的疆場，
決不願作侏儒階下的奴囚；
我們甯涉過深深的綠水，
去爭取我們的解放與自由！

讓我們的頭顱，

當作新中國的礎石；
讓我們的熱血，
在故土上綻放自由的花朵；
我們誓死不屈服於倭人的跟前！

夜，山谷中的月夜呀，
寒光照着我們的營幕，
照着我們的鐵衣，
照着我們閃光的鎗矛。

前進罷，兄弟們，戰友們，
前進罷，我底勇敢的戰馬呀！
是時候了，衝，衝向倭人的巢穴；
揮起我們的刀，我們的鎗矛，
予打擊者以重大的打擊！

看啊，倭人的首級像狂飇中的墜果，
倭人的血像噴水池上湧出的寒泉，

游擊者之夜歌

倭人的巢穴冒着熊熊的火光。

我們在沙場上自由馳騁，

我們從容地轉回了深山；

月亮爲我們照出光明之路，

海風爲我們唱着凱旋之歌。

24

火炬頌

神聖抗戰的火炬，
燃遍了祖國的每個角落，
它指示着戰士勝利的前途，
也指示着民衆覸捷的夜路。

勇敢的戰士呀，前進罷，
高高地緊把火炬擎起，
在這渾濁的黑夜裏，
找出我們光明的出路。

別怕火線旁邊的草地，
是你們永久的歸宿；
別怕那草地上的十字架，
是你們靈魂的標誌。

我們無數的鐵手，

將會繼着你們發起，
直到驅盡了黑夜的惡魔，
現出了祖國的晨曦！

祝捷的鞭炮

卜卜卜，卜卜卜，
祝捷的鞭炮，
從萬衆的心上燃燒，
一陣陣歡躍的歌聲，
充溢了街頭巷尾。
前綫上通着壁日的捷報，
這回又是台兒莊大勝利，
我軍圍殲全部的倭寇，
飽嘗侵略者血的滋味，
呀，這消息教誰不狂喜！
大家高喊出勝利的呼聲：
「中華民族萬歲！
打倒日本帝國主義！」
熱血在各人的心中交織，
這時不使人心的不死！

戰地新年

大地給無情的砲火摧殘，
美麗的廬舍變成斷砌頹牆。
無數的生命跟着死神逝去。
戰場上堆起雪白的骷髏之岡。

我們在這遼闊的田野上，
遙望火雲外糜爛了的故鄉；
家人是再也難得團爐團聚了，
這都是敵人給予我們的創傷！

但我們並不因此而沮喪，
我們要更加努力以圖自強，
瘋狗般狂暴的侵略者呀，
你們的末日就在眼前！

冷風吹起鎗聲像爆竹般響，

赭紅的血在殘扉上糊成春聯。
我們激昂地擎起復仇之杯，
把倭寇的鮮血當作屠蘇酒漿。

啊，那瓦礫間的白梅花樹，
爲我們含着勝利的微笑；
枝頭的小鳥，啁啾地
爲我們歌頌快樂的新年！

神鷹的歌

展開鐵的羽翎，
我們都要開飛鷹，
保衛祖國的領空，
我們是中國的神鷹！

在「七七」的血鏡裏，
曾飛過南口和宛平城。
經「八一三」的烽火裏，
也曾掩護著轟炸機。
在無數的戰鬥的日子裏，
都為祖國的抗戰而飛行。

擊墜了你們的敵機，
炸毀了鬼子的軍營，
我們靈巧的戰術，
使敵人心悚膽驚！

我們也曾作長途的遠征，
跨過太平洋直搗東京，
散發着正義的蝶樣傳單，
把扶桑三島的民衆喚醒！

我們睜開雄偉的眼，
看敵國反戰怒潮的奔迸，
他們嘗過被壓迫的滋味，
都在反對軍閥的黷武與蠻橫！

敵人的侵略一日不停止，
我們決予一日的抗爭，
爲着國族的自由平等，
我們是不怕任何犧牲！

我們更在通紅的火雲裏，
展開英勇激烈的血戰，

直把倭寇殲滅淨盡，
寫出我們歷史的光榮！

血軌

報載英山中央社九月廿五日電：「比來南北各戰場，敵軍前線主力，每雜有不少我東北方及其他淪陷區域內之壯丁同胞。敵寇唆使中國人殺中國人之毒計，已昭然若揭。頃據被俘東北籍之偽軍某，供述月前敵在東北有一次曾強拉四千青年，向國內開拔，從事同胞相殘之勾當。是時，有此等青年之家屬數千人，臥於鐵軌，遂數十里之長，要求免予派赴前線，敵軍強迫司機員開車，司機員不肯，乃槍殺。嗣由敵軍自行司機，竟不顧一切，將臥鐵軌之數千東北同胞，完全軋死，斷頭斬足，血肉橫飛等語。該俘虜言下，猶痛哭不已。敵此種慘酷獸行，眞令人髮指！」

國土變色了的同胞，
是縲絏中的囚犯，
在鬼子底屠刀下，
只有忍淚等着死刑！
任憑屠宰也還不夠，
却叫你去和同胞拚命！
誰願意演出鬩牆的悲劇，
但在鬼子的鞭策下，

游擊者之夜歌

不得不昧着天良去演；
同型的血液匯成巨流，
同胞的骨肉叠成高岸，
就這樣一幕幕在獰笑裏演出！

而今又是悲慘的一幕，
展開在地獄般的東北；
四千個年青的囚徒，
被塞進鐵蛇的巨腹。
蛇腹下有着哀求的啼聲，
但怎能軟下鬼子的心軸！
骨肉阻止不了鐵蛇的爬動，
縱延長廿里也屬徒然。
多情的機手反被殘殺，
鬼子的心是這麼狠毒！
鐵蛇驀地爬過悠長的血軌，
四野飛迸着模糊的骨肉！
呵！這是何等痛心的悲劇呀，

34

我們怎能忘却這血軌的恥辱？
同胞們呀，記着，記着，
我們總有一天會去報復！

大時代的歌者

我是個大時代的歌者，
我打着鉄綽板，彈着銅琵琶，
高唱蘇東坡的「大江東去」，
高唱岳飛的「滿江紅」，
高唱文文山的「正氣歌」呵，
在祖國的每個角落裏，
激發了同胞們抗戰的熱情！

我是個大時代的歌者，
我彈着曼特鈴，奏着式梭芬
高唱彼多斐的「戰歌」，
高唱拜倫的「希臘」，
高唱李賽爾的「馬賽曲」呵，
在沙場的每個壕塹裏，
鼓起了戰士們殺敵的勇氣！

我是個大時代的歌者。
我打着鼙鼓，擊着鐃鈸，
高唱漢高帝的「大風歌」，
高唱李太白的「塞下曲」，
高唱最後勝利的凱歌呵，
在國族復興的大道上，
撼動了同胞們狂歡的心聲！

戰上去，永久戰上去

絕不轉背而挺胸前進，
　絕不疑惑積雲會破，
絕不夢見正義敗挫，邪惡勝利，
確信我跌倒爲的是起來，
　敗北爲的是打個更好的仗，
就睡爲的是醒來的人呀。

在人事倥傯的午晝，
　歡樂地招呼不識者罷！
叫他前進呀，背也罷，胸也罷，
「努力呀！奮勉呀！」叫着罷：
　「快快——戰上去，永久戰上去，
在彼世也如在此世。」

絕不相信世界上只有強權，沒有公理；
絕不相信宇宙間只有邪惡，沒有正義；

——勃朗甯詩。

絕不相信倭寇的魔手會抓去我們廣大的國土；
絕不相信敵，的砲火會摧殘我們光榮的歷史。
中華民族的健兒呀，垂危的祖國正需要你，
我們相識也罷，不相識也罷，大家都是民族的戰士，
我們要像鐵鏈一般團結起來，奮鬥到底！
舉起我們自由的旗幟，迎着腥風飄揚
挺起我們鋼鐵的胸膛，朝着烽火邁進。
戰上去，絕不猶夷，絕不回顧地戰上去，
以我們血肉的長城阻擋強敵的侵凌，
以我們犀利的武器毀破惡魔的面具！
戰上去，我們要以眼還眼，以牙還牙地戰上去；
戰上去，我們要視死如歸，前仆後繼地戰上去，
戰上去，我們要屢敗屢戰，再接再厲地戰上去！
中華民族的健兒，勇敢的戰士呀！努力呀！奮勉呀！
戰罷，永久地戰上去呀！為着自由，為着正義，
為着爭取祖國的最後勝利，縱死也像活在現世。

流亡線上

——馬耶柯夫斯基詩·

越過飢餓，
越過屍山血河，
百萬人的脚，踏過！
更向前進！

是的，烽火燬滅了咱們的家園，
燃斷了咱們的生命線，
爐灶冷了，崩壞了，
離散，天各一方的離散；
在他鄉，有無數的陌生地，
多少生疎的同胞，
又給烽火趕集在一塊；
像遍野的哀鴻，
擠上了遙長的流亡綫！
越過飢餓，

越過屍山血河，
百萬人的脚，踏過！
更向前進！

寒風刮破了古老的樹皮，
也刮破了咱們百結的鶉衣，
受凍，堅忍地受凍！
聽憑空腸轆轆的鳴雷，
仍竪起軟腰前進；
甯死也不願做鬼子的順民，
拖着沉重的步伐，向前進！
收拾起徒然的眼淚，
收拾起徒然的哀號和詛咒。
咱們有的是熱血和力量，
咱們有的是勝利的自信！
越過飢餓，
越過屍山血河，
百萬人的脚，踏過！
更向前進！

拓荒者

我們還是在鬥爭的時代。我們倒不是爲了鬥爭而愛鬥爭的。是爲了鬥爭的成果，才熱愛鬥爭，才要求鬥爭。我們與其說是戰鬥員，還不如說是拓荒者。

——紀德

在鬥爭的烽火中長成的
在大時代的烘爐裏煅成的
我們這一羣年青的伙子，
　有着鋼鐵般的體魄，
　有着焰火般的熱力，
　爲着要求鬥爭的成果，
我們來把荒蕪的大地墾殖。

我們穿着和年紀一樣青的布衣，
　戴着和皮膚一樣赤的草笠，
　在叢林間，
在原野上，

——在大自然的懷抱裏，
把鐵的雙腕，
鐵的胸膛，
袒露給風雨和烈日，
不停地揮舞鋤頭，鐵鍬和鶴嘴斧，
芟除了漫山遍野的荊棘。
而有時更燃起了燎原的野火，
把大地燒得一片焦黑，
讓殭硬了的泥土，
重新翻鬆着——
像彈弓下的棉花似的翻鬆着。
于是，
我們繚成一條條的畦，
挖成一個個的窟窿，
把番茄的種子，
小麥，豌豆與
各種雜糧的種子，

游擊者之夜歌

和着我們的血汗撒下，泥窟裏。

我們不斷地澆水，施肥．
　不斷地捕捉虫豸．
　　不斷地插棘籬
——防範着山狼和野豕．
我們把希望交給了這田地．

無論晴天與雨天，
無論清朝和薄暮，
我們都這樣的開拓着，
　　種植着，
　　耕耘着，
我們在祖國的土地上
　自由地呼吸，
　自由地勞動，
　自由地歌唱，
　自由地休息．

44

我們欣賞着如畫的田疇，
　如畫的林巒。
傾聽着牧女的輕飄的山歌，
　和牛背上牧童的短笛。
時光像瀑布迅速地飛過，
我們的種子也漸漸地在萌芽
——嫩綠的，淡青的芽。
又漸漸地在開花
——絢爛的，美麗的花。
更漸漸地在結着果實
——碧綠的，金黃的果實。
啊！大地呀，我們慈母親喲，
　你是不會辜負我們的
——我們這一羣年青的伙子的。
我們笑逐顏開地收獲着，
我們相信血汗是不白流的

——一顆顆的血汗，
換來了一袋袋的糧食。
我們把它留在後方，
輸到前方，
增強抗戰建國的實力，
讓錦繡的山河回復了本來的面目。
我們熱愛鬥爭，
要求鬥爭，
為的是有着鬥爭的成果，
——我們是大時代的拓荒者！

寒衣曲

沙場征戍客，寒苦若爲眠。
戰袍經手作，知落阿誰邊？
蓄意多添線，含情更著綿。
今生已過也，再結後生緣。
——開元宮人——

裁裁裁，
殘燈，
凍紅的纖手，
冰冷的剪刀，
飍風殺殺夜深。
纖纖的身段，
纖纖的腰圍，
把尺寸約略地量；
一剪戀情，
一剪蜜意，

對那沙場的祖國健兒．

塡塡塡，
　殘燈，
凍紅的纖手，
雪白的木棉，
　驟雨滴着夜心，
無憑的肥瘦，
無憑的高低，
　把棉絮厚厚地鋪；
一着摯愛，
一着熱望，
　對那陌生的祖國健兒．

縫縫縫，
　殘燈，
凍紅的纖手，
閃光的針兒，

寒衣曲

雪花開着夜闌。
熱溫的袖口，
熱溫的胸襟，
把絲線密密地縫；
一針慰問，
一針禱祝，
給那遙遠的祖國健兒。

傷兵之歌

冒着前綫的彈雨，我，
來到這幽美的山林。
靜臥着，小樓邊
有菊影的婆娑，
有松濤的歌唱，
伴着我負傷的呻吟。

姑娘喲，
多謝你慰問的好意，
多謝你細緻的殷勤！
你那婀娜的姿態，
使我憶起了六年前
永訣了的愛人。

如今，你那沉迷的眸子，
你那可愛的梨渦，

解釋了少女迷戀的歡欣。
我該感激你給我的鼓勵，
使我更奮起戰鬥的雄心。

爲了你，爲了祖國，
我願裹紮着未愈的創痕，
再上前線去殺敵人；
等到凱旋的時候，
再跟你重遊這澄潔的湖心。

把生命獻給祖國

I hav e But one regret, and that is that But one life to give fe my Country

——Nathan Halo,

我有個美健的軀體，
然而這軀體
並不光是你所佔有的，愛，
在這烽火連天的時際，
爲了你，我更願把這軀體
獻給我們的祖國。

我有個純眞的靈魂，
然而這靈魂，
並不光是你所佔有的，愛，
在這腥羶遍地的當兒，
爲了你，我更願把這靈魂
獻給我們的祖國。

把生命獻給祖國

我有個活躍的生命，
然而這生命
並不是你所佔有的，愛，
在這風聲鶴唳的頃刻，
為了你，我更願把這生命
獻給我們的祖國。

多難的祖國喲，
為着你的獨立，自由；
也為着我們的，
我願拚命地去苦鬥！
縱在敵人的重圍中
也要這樣高喊：
「我祇有這個缺憾，
那就是我祇有唯一的生命
以獻給我底祖國！」

騎士

在廣漠的野場上，
在蓊鬱的森林中，
你，年青而英爽的騎士喲，
跨着雄壯的棕色馬，
毫無羈絆地奔騰，馳騁。

草地上拖過一條鞭影，
拖過弧形的甲胄的影，
在踹踊的鉄蹄聲中，
怒放着淡褐色的泥花朵朵。

塵空中流波着寶劍的電閃，
一圈圈的閃亮——
畫着弓形旋舞，
像夜空中的迅逝的流星。

去罷，年青的騎士喲，去罷，
勇敢地疾馳而去罷，
禱祝你，明天——
快樂的明天喲，
你帶回了勝利的微笑的唇！
來和你的「甜心」親吻！

光明之歌

雖然火藥味
還彌漫着暗淡的東方；
雖然黑夜的惡魔
還在暗中播弄。
可是呀，
黑暗的盡頭是光明；
苦難的末梢是快樂！
惡魔呀，東方的惡魔呀，
你們殘暴的魔術能再變出幾套？
來，年青的伙伴，
來，光明前途的創造者喲！
我們快把蘊藏着的熱，力與光，
鍊成了鋒銳的金箭；
把那破壞正義的惡魔射透！

光明之歌

鼓起我們的勇氣，
邁着我們的步伐，
向光明的前途前進！
看，那樂土上的山林，
已在向我們招手，
幸福的曙光就在我們的前頭！

附譯詩

西班牙的騎兵

Wm, D. Hendrickson作

（一）

一個西班牙的騎兵，
站在他的營房裏，
把他的吉他彈出一支曲子，愛；

這音樂是多麼甜蜜喲，
他彈了又彈，
道幸福是我們的國家和妳的，愛；

啊，說罷，親愛的，說罷，
當我離此遠去的時候，
而有時你可想念我喲，愛；

陽光燦爛的日子，
不久卽將消逝，

記住我所說的那些話
都是誠實的喲，愛。

（二）

我將去作戰，
我必定去作戰，
戰爭為的是我們的國家和妳喲，愛；

但，如果我戰死了，
在敗亡中我猶吶喊；
這幸福是我們的國家和妳的，愛；

啊，說能，親愛的，說罷，
當我離此遠去的時候，
而有時妳可想念我喲，愛；

陽光燦爛的日子，
不久即將消逝，

記住我所說的那些話
都是誠實的喲，愛。

（三）

當戰爭停止時，
爲了妳，
我再回到我們的國家跟着妳，愛；
但如果我戰死了，
妳可沒法找我，
妳得到戰塲上去找我罷。

啊，說能，親愛的，說能，
當我離此遠去的時候，
而有時妳可想念我喲，愛；
陽光燦爛的日子，
不久卽將消逝，

記住我所說的那些話
都是誠實的喲，愛。

希臘

LORD BYRON作

噢，那山樹底下的草原喲，
正是烈士們底故土！
是他們創造自由的策源地喲，
也爲他們葬身埋名的墳墓！
看喲，那壯麗的古刹之中，
是誰在那裏呢？
那一艘馬辟雖山之關又在那兒喲，
不是你甘受奴辱的嗎？
悠悠的綠水喲，
環繞在你的週遭；
洗清了你的軀體喲，
怎能不羞恥而臉紅！
生育你身的人喲，
乃是創造自由的壯士；
你是自由的種子喲，

游擊者之夜歌

怎能長此屈辱下去！
我爲這悶而問你喲，
怎樣叫這島嶼的名字？
那江灣和「沙欒米」的堤岸喲，
難道你每天經過而沒看見？
追懷古蹟不勝今昔之感喲，
那崇高的山和深深的水，
這景緻是因人而傳喲，
但那人也已杳然不見了。
我伸手招呼你喲，
希望舊物能得重還：
如果你撥動先人的餘燼喲，
便可看見死灰復燃！
如果你奮勇去苦鬥喲。
雖是犧牲也所不辭；
但你的英名是不死的喲
使那暴主聞之而悚然
你的希望和蜚譽喲，

64

可以遞給你底兒子，
你底兒子踵步你後塵喲，
也都替死去湔辱雪恥！
父和子代代相傳不息喲，
從此開始為自由而戰，
傾瀉那流不盡的熱血喲，
屢敗屢戰，終會興起。
倘若你以我的話不足徵信喲，
前代的歷史可做明證：
當希臘勃興的時候喲，
大家都拚命去競鬥；
雖然犧牲了無數的生命喲，
但基礎因此而奠定！
那無名的金字塔喲，
灰塵封着纍纍的石塊；
裏面有着敗績之王喲，
偃伏於希臘的英雄；
那希臘的英雄喲，

不也是流血與犧牲嗎？
但能掃蕩敵氛保全土地喲，
雖犧牲也何妨？
倘若你問前代的勳碣喲，
便是那巍峨的高崗！
峯頂上撼着文藝之神喲，
永傳萬世而流芳！
而今是難得復興喲，
我的胸懷罩上茫然之愁！
說不盡的先烈事蹟喲，
空訴着內心的凝思！
我獨對這自由的故都憑弔喲，
那高尚的遺風猶存；
怎麼創造自由的民族喲，
遺業却是驀地改了？
我計慮着而落淚喲，
但以數語告訴你：
如果再不奮勇去力戰喲。

也難怪敵人的欺侮！
敵人原是殘暴的強盜喲，
那有什麼良心可言！
倘你甘受奴辱喲，
你的良心未免那個！
唉，如今有何可說喲，
徒使我的聲音嗚咽！
你還踏起奴隸之路喲，
唉，終於難再興起！
怎麼你這樣甘於屈辱喲，
難道永走此路而不還

拜倫詩選

LORD BYRON作

良宵裏掠過了一陣譁笑的風聲，
許多麗妹和壯士都雋集在比京。
——盞盞燦爛輝煌的紗燈映出了
英勇的健兒和美麗的女郎，
愉快的情緒勾起了顆顆的心靈；
當爵士音樂播出了飽和的交響，
秋波裏交流着親密的愛情，
明眸中又蘊含着溫柔的語聲，
大家的心像沉醉于婚禮的鐘聲裏；然而
靜靜，傾聽，像是一陣喪鐘的哀鳴！

× × ×

你聽到麼，——沒有別的；那只是風聲，
莫不是石子路上的車聲轔轔；
再來瘋狂地舞踏，任情地歡躍
拖着青春與快樂的飛步

追逐着駒光，通宵不寐的直到天明，
然而傾聽，再來一次的震天價響，
有如雲堆裏回旋過來的响聲；
是較前回更近啦，更清晰啦，更呈現着
冷氣森森！快武裝喲，快武裝喲！
那是——那是礮口吐彈的吼聲。

× × ×

靜坐在這個華麗的舞廳中的
那位勃朗維喀將軍；
他首先在宴會中聽到了這種
聲音，從這聲音認出了
死亡的預兆；他自個兒
辨明了戰禍即將來到，但人們還在笑語盈盈，
只有他的心諗知這礮聲
在當年載過他爸爸的棺車，
也曾濺過戰爭的血滴。激起了復讎的熱情，他自鎮靜。
他，又奮勇地衝上戰場去犧牲！

× × ×

啊！剎那間大家都匆忙地照來攙住，
爲着災難的來臨而落淚，而發怔！
祇是一點鐘以前，蕙質蘭姿的美女
頰上浮泛着的霞彩，
如今已變成了灰白；在倉惶的分離中，
像喪失了生命的活力與靑春的心。
歎息着以後將再沒有像剛才一樣：
這麼眉眼傳情或者能再邂逅，
這是誰都難于猜測。多甜美的良宵
將盡，嚴酷的晨光，即將來臨！

× × ×

大家都急促地跨上戰馬；這騎隊，
這集納的騎隊，還有轔轔的車聲，
急湍似的迅速地向前馳去，
瞬息間就排成了嚴肅的陣容；
雷樣的砲聲不斷地在霹靂；
近處的鼙鼓敲醒了
晨星下抗睡的士兵；

這時候擁擠着的市民們
都嚇得啞然無聲、有的只用灰　耳語：
「他們來啦，他們來啦，這些敵人！」

× × ×

「卡麥朗的隊伍」的聲樂播滿了四方；
「盧式爾的戰歌」的音波也流過阿奔山，
也曾流滿敵對的薩克遜那邊：
這夜半的蘇格蘭的歌聲
是多麼的尖銳刺耳喲！
這譜入他們的大笛的歌曲，
流露着山中人的頑強的氣息，
笛聲勾起了他們
千年前轟動過了的記憶，
衣梵唐納的英名在族人的耳中震响！

× × ×

阿爾屯的森林在上面飄着綠葉，
戰士過處，有清露墜下自然的淚滴，
萬物都像爲着哀傷而沒了生氣，

游擊者之夜歌

憂傷環抱着死亡的壯士——令人悲惻！
夕暮之前他們像被踐踏的脚下青草。
可是脚痕上該再生着
油綠的顏色，勇敢活躍
而有熱血的羣衆，在向敵陣衝鋒迫擊，
都是爲着偉大的希望而犧牲了自已，
將在冷落荒涼之中化成了塵泥。

× × ×

昨午他們都有着健壯的
生命，昨夜裏還在麗姝
羣中昂然地歡舞，突然
午夜吹來了戰鬥的號音，
黎明就齊備了武裝的隊伍，
——白天裏排成了殷豁的戰陣！
戰地上彌漫着炮灰和戰雲，震裂的地面上
給鋪蓋層層的尸骨
上面還蓋着厚厚的泥土，
堆積着，騎士與馬屍—
友與敵—混埋在慘紅的血窟！

72

抗戰詩集

游擊者之夜歌

平裝每冊定價壹元五角
外埠酌加寄費

譯著者 吳秋山
發行者 建國出版社
印刷者 建國出版社

中華民國廿七年四月初版
中華民國三十年十月再版